Sanoma Uitgevers

© Disney
Een uitgave van Sanoma Uitgevers BV – Hoofddorp
Eerste druk 2006
Oorspronkelijke titel: High-five
Bewerking door Alice Alfonsi
Gebaseerd op de tv-serie bedacht door Terri Minsky
Deel een is gebaseerd op de tv-aflevering geschreven
door Nancy Neufeld Callaway
Deel twee is gebaseerd op de tv-aflevering geschreven
door Nina G. Bargiel en Jeremy J. Bargiel
Vertaling: Jacqueline Bouwmeester
DTP: Studio Meini
Druk: Koninklijke Wöhrmann BV – Zutphen
Distributie voor Nederland: Aldipress BV – Utrecht,
(030) 666 06 11
Distributie voor België: Het Bronzen Huis - Antwerpen
ISBN-10: 90 8574 0959
ISBN-13: 978 90 8574 095 7

HOOFDSTUK 1

Waarom is mijn leven toch zo ongelooflijk sáái? vroeg Lizzie McGuire zich op een maandagmorgen af. De laatste tijd was niks echt leuk of echt stom. Wel gewoon echt saai. Terwijl ze door de hal van Hillridge Junior High liep, zag Lizzie een groepje mensen bij een notitiebord staan. Haar leraar Engels had net de cijfers opgehangen van het belangrijke proefwerk van vrijdag.

Hé, dacht Lizzie terwijl ze op het groepje afstevende, misschien gebeurt er vandaag eens iets waardoor het gedaan is met de saaiheid. Misschien is het me wel gelukt een vette tien te halen.

"Yés, het is me weer gelukt!" juichte Ricky Mercado. Natuurlijk was het hem weer gelukt, dacht Lizzie. Ricky las al Shakespeare

toen ik nog met Maan, Roos, Vis bezig was.
Naast Ricky stond Tanya Washington, die met
hem *highfivede*. "Op naar de universiteit!"
piepte ze. Tanya, die ook een belachelijk hoog
cijfer had, was de regionale kampioen
Spellen. Onder druk kon Lizzie net 'spellen'
spellen.

Nadat Ricky en Tanya weg waren gegaan,
manoeuvreerde Lizzie zich dichter richting
het knaloranje vel dat hun leraar Engels had
opgehangen. De namen van de leerlingen
stonden er op alfabetische volgorde op.

Lippin, Mattson, McGuire, las Lizzie zachtjes
voor zichzelf voor. Daarna gleden haar ogen
richting het cijfer.

Lizzie zuchtte en liep de hal weer in. Het was geen gezellig loopje. Na ongeveer elke tien stappen passeerde ze een klasgenoot die wél ergens in uitblonk.

Eerst liep ze langs Ivana Peters, die rek- en strekoefeningen deed bij haar kluisje. Als kind had Ivana ballet gestudeerd in Moskou. Nu trad ze in haar vrije tijd op, als beroeps en iedereen verwachtte dat haar benen het ver zouden schoppen in de danswereld.

Na Ivana liep Lizzie langs een groepje jongens. Ze stonden rond Larry Tudgeman, die dit weekend weer een wetenschapsprijs in de wacht had gesleept. Zijn winnende inzending was een soort erg ingewikkeld molecuulgeval.

Is het je wel eens opgevallen dat iedereen wel érgens goed in is?

Zelfs Tudgemans fáns zouden ooit wel een Nobelprijs winnen, dacht Lizzie. En wat zal míj zoal lukken in mijn ongetwijfeld saaie leven? Misschien win ik eens een Saaiste Mens op Aarde-Award.

Lizzie schudde haar hoofd. Dat hele Wat-Zijn-We-Allemaal-Geweldig-Gedoe begon haar de keel uit te hangen.

Op dat moment zag Lizzie haar twee beste vrienden, Miranda Sanchez en David 'Gordo' Gordon.

Paniekaanval ontweken, dacht Lizzie terwijl ze naar hen toe liep. Mega-gemiddeld en supersaai zijn is tenslotte een stuk minder erg als je vrienden, die ook gemiddeld en super-saai zijn, bij je zijn.

Hoewel: Lizzie moest al snel toegeven dat haar beste vrienden helemáál niet saai of gemiddeld waren. Miranda bijvoorbeeld hield net een zilveren sieraad voor Gordo's gezicht.

"Wauw, mooie ketting," zei Lizzie tegen Miranda. Het zag er echt heel apart en mooi uit.

"Dank je," grijnsde Miranda. "Heb ik van een oud colablikje gemaakt."

Lizzies wenkbrauwen schoten omhoog.

Zie je wat ik bedoel? Het enige dat ik met een oud colablikje kan doen, is het recyclen.

"Nee, draai nou niet weg," zei Gordo tegen Miranda. "Zo ben ik mijn mooie shot kwijt." Lizzie trok een grimas toen ze de digitale camera in Gordo's hand zag. Hij filmde Miranda voor een aflevering uit zijn 'Een dagje Hillridge High'-reeks.

Gordo maakt een complete documentaire en ik kan nog geen direct-klaar-foto nemen.

Miranda zag Lizzie moeilijk kijken. "Wat is er?" wilde ze weten.

"De cijfers van ons proefwerk Engels hangen er," antwoordde Lizzie.

"Weer een 7?" raadde Miranda.

"Wat dacht je dan?" vroeg Lizzie. "Ik word er niet goed van. Ik wil eens een keer een 8. Of een 9 of een 10."

"Je zou wel actrice kunnen worden," klonk Gordo opgewekt van achter zijn camera. "Je doet het goed op beeld."

"Echt?" vroeg Lizzie hoopvol.

Gordo knikte enthousiast. "Echt."

"Cool," vond Lizzie. Ze draaide een rondje op haar plaats en probeerde haar haar weg te laten wapperen.

Wauw, dacht Lizzie. Ik actrice...

Helaas had Lizzie niet in de gaten dat Gordo's rugzak op de vloer lag. Ze struikelde erover en vloog door de lucht.

Gordo fronste. Hij haalde zijn camera voor zijn gezicht vandaan en knipoogde naar Lizzie.

"Misschien is stuntvrouw beter," stelde hij voor.

Lizzie gromde vanaf de vloer. Nu was ze er

zéker van overtuigd dat ze nooit eens echt goed zou zijn in iets.

HOOFDSTUK 2

Het werd die maandag niet veel beter. Aan het begin van de gymles kregen ze van coach Kelly te horen dat ze buiten zouden gaan sporten.

Te gek, dacht Lizzie. Alsof het niet erg genoeg was dat ze die stomme sportkleren bínnen aanhadden.

Zij en Miranda liepen achter hun lerares en de rest van de meiden aan naar het sportveld. Miranda porde Lizzie in haar zij en gebaarde naar een stel jongens die aan de andere kant van het hek stonden.

Ze lachten om de meiden die superwijde blauwe shirts en lange grijze sportbroeken droegen. Het leken wel gevangenispakjes!

Miranda rolde met haar ogen. "Er is gewoon níks leuks aan maandagen," zei ze. "Zeker niet als je met coach Kelly te doen hebt."

"De Koningin van het Strafkamp," beaamde Lizzie.

"De gym-duivelin," voegde Miranda er aan toe.

Hun lerares had een voorliefde voor diepe kniebuigingen en opdrukken en daardoor waren Lizzie en Miranda ervan overtuigd dat de vrouw thuis waarschijnlijk een heksen- bezem in de kast had staan. Er was niets wat het mens liever deed dan hen volledig ver- nederen.

"Ben benieuwd wat we nu weer gaan doen," piepte Miranda.

Lizzie zuchtte. "Wat het ook is, ik weet zeker dat ik er net zo slecht in ben als in kruis- boogschieten."

Miranda knipperde met haar ogen. De mei- den herinnerden zich de dag dat ze daaraan moesten geloven als die van gisteren. Lizzie had keurig geschoten, alleen miste ze haar doel met een metertje of twintig. In plaats van het bord had ze het linkervoorwiel van hun gymjufs auto te pakken.

"Ze moet haar auto ook niet zo dicht bij het sportveld zetten," zei Lizzie verdedigend.

"Ritmische gymnastiek!" kondigde coach Kelly aan.

Lizzie en Miranda bewogen een tikje toen ze de stem van de enorme vrouw hoorden.

Coach Kelly deed een doos open die vol zat met ritmische gymnastiekspullen: linten, hoepels, ballen, kegels.

Ze pakte een hoepel, deed die om haar nek en gaf er een draai aan. Daarna begon ze te bewegen, zodat de hoepel rondjes bleef draaien.

Miranda en Lizzie rolden met hun ogen om het belachelijke tafereeltje dat ze voor zich zagen. Is dit een spórt? dacht Lizzie.

"Een combinatie van gym en ballet, waar je behendigheid en coördinatie voor nodig hebt," legde coach Kelly uit.

En veel te grote schoenen en een rode neus.

"Deze sport is al ruim honderd jaar oud en werd in 1984 een officiële olympische sport," ging hun lerares verder.

Lizzie draaide zich om naar Miranda. "Dit is toch niet wáár?!"

Miranda knikte. "En het is de dikke vette pukkel onder de vrouwensporten."

"Nou," zei Lizzie. "Zou ze extra verdienen als ze ons vernedert?" Het gebeurde zo vaak dat er geen andere uitleg mogelijk leek.

"Jullie kunnen de hoepels, ballen, kegels en linten gebruiken, of een combinatie daarvan. Maar laten we simpel beginnen," sprak de coach.

"Gym voor meiden is echt stom," fluisterde Miranda tegen Lizzie.

"Ja," beaamde Lizzie zachtjes. "Jongens hoeven zulke vernederende dingen niet te doen. Die mogen toffe dingen doen."

"Vrijwilligers?" vroeg coach Kelly.

"Nee!" riep Miranda.

Lizzies ogen werden groot toen coach Kelly zich langzaam naar hen toedraaide. Miranda was van zichzelf geschrokken. Het was niet haar bedoeling geweest om het zo hard te zeggen!

"Zachtjes praten, zachtjes praten," piepte Miranda in totale paniek tegen Lizzie.

"Miranda!" brulde de coach. "Hoor ik jou nu zeggen dat jij de vrijwilligster bent?"

Miranda wist dat het eigenlijk geen vraag was. "Eh…" zei ze.

"Mooi," zei de coach. "Laat maar eens zien hoe dit werkt."

Miranda stapte onwillig naar voren. De coach gaf haar twee kegels, van die dingen die Miranda wel eens in het circus had gezien. Miranda pakte ze aan. Ze haalde nerveus adem en probeerde ermee te doen wat er van haar verwacht werd, maar in plaats daarvan vlogen de kegels het sportveld over. Met luid kabaal kwamen ze een eind verder terecht.

"Oeps," zei Miranda schaapachtig. "Ik zal ze even halen…"

Terwijl Lizzies beste vriendin het veld over snelde, begonnen Kate Sanders en haar cheerleadersbende-vriendinnetjes te giechelen.

Lizzie kneep haar ogen tot spleetjes en gluurde naar Kate, maar die keek ijskoud terug. Daarna mimede ze: sukkel.

Maar toen draaide coach Kelly zich om.

Kate trok haar lieve engeltjes-gezichtje en wuifde naar haar.

Coach Kelly keek op slag vrolijk. "Kate," zei ze bewonderend. "Waarom laat jíj ons niet eens zien hoe het echt gedaan moet worden?"

Lizzie rolde met haar ogen. Coach Kelly was gek op Kate – wat op zich niet zo verwonderlijk was. Dat meisje was niet alleen het opperhoofd van de cheerleaders, ze was megagoed in zo ongeveer alles wat ze deed in de gymles.

Kate zwiepte haar haar over haar schouder en liep naar de coach, die ook haar twee kegels gaf. "Oké," zei Kate gemaakt nederig. "Eens kijken of ik dit kan…"

Ze keek nog even met een 'kijk mij eens goed zijn en wat ben jij toch een stommeling'-blik naar Lizzie en begon toen de kegels de lucht in te gooien. Een paar seconden lang leek het er inderdaad op dat ze wist waar ze mee bezig was. Maar toen ze een kegel moest vangen, lukte dat niet en het ding viel met een klap op haar voet.

"Au, au, au!" jammerde Kate, totaal in shock en flink vernederd.

Iedereen moest lachen. Kate hupte in het rond en keek een paar collega-cheerleaders bloeddorstig aan.

"Ik denk dat je hier nog even mee moet oefenen, Kate," adviseerde Kelly haar.

"Ik snap er niks van," protesteerde Kate. "Ik ben overal goed in. Mag ik het nog een keer proberen?"

Haar lerares wilde net antwoord geven, toen ze in de gaten kreeg dat één leerling nog steeds stond te lachen: Lizzie McGuire.

Miranda was inmiddels teruggekomen en probeerde haar beste vriendin tot bedaren te brengen. Maar Lizzie kon er niets aan doen. Kate was Koningin der Valseriken en als ze de kans kreeg zou ze het niet laten om iemand volledig de grond in te boren. Lizzie lag letterlijk dubbel, ze kon niet meer stoppen met lachen nu Tante Perfect eindelijk door de mand was gevallen.

Helaas zag haar lerares het anders. "Lizzie McGuire?" snauwde de coach. "Je vindt het nogal amusant?"

"Nee, nee, helemaal niet," zei Lizzie, die eindelijk haar lachstuip de baas werd.

"Misschien kun je míj nu eens amuseren met

jouw lint-vaardigheden," blafte de coach.

Lint-váárdigheden? dacht Lizzie. Ze keek naar het lint aan een stokje. De coach stak het naar haar uit en verwachtte dat Lizzie het aanpakte.

"Oké, eh… goed," zei Lizzie, die hoopte dat ze zich eruit zou kunnen praten. "Ik denk dat ik eh… niet goed weet hoe…"

"Een één?" blafte de coach. "Zal ik je helpen?"

Lizzie hapte naar adem. "Nee!" Ze wilde zichzelf niet voor schut zetten. Maar een één wilde ze ook niet. Tegen haar zin stapte ze naar voren en stak haar hand uit.

Coach Kelly gaf haar de stokjes en Lizzies kneep tergend langzaam haar hand dicht. En toen gebeurde het. De bliksem flitste – Lizzie had nog nooit zoiets gevoeld.

Het stokje en het lint voelden weldadig aan. Lizzie begon ermee te zwaaien.

Het lint zwierde alle kanten op en het leek of Lizzie nog nooit iets anders had gedaan. Lizzie danste in het rond, maakte sprongen en zag eruit alsof ze in een mooi ballet terecht was gekomen.

Uiteindelijk maakte Lizzie nog een mooie

sprong en deze keer lag er geen rugtas waar ze overheen kon vallen.

De hele klas volgde haar met open mond. Iedereen, behalve Kate, die woedend naar haar keek. Maar op dat moment bekommerde niemand zich om haar. Alle ogen waren gericht op Lizzie. Het was prachtig! Miranda's mond viel open van verbazing en zelfs coach Kelly leek onder de indruk van Lizzies aangeboren talent.

Uiteindelijk hield Lizzie ermee op. Met een vriendelijk lachje overhandigde ze de stokjes weer aan de gymlerares.

HOOFDSTUK 3

Na de les gingen Lizzie en Miranda terug naar de kleedkamer om zich weer om te kleden. Ze waren bijna klaar toen ze buiten Kate zagen hinkelen naast coach Kelly, die net een verband om de gewonde voet van Kate had gedaan.

"Hé coach," zei Kate tussen haar wanhopig uitziende gehinkel door. "Ik heb bedacht hoe het komt dat ik die kegel op mijn voet liet vallen. Weet u, ik had nog wat dagcrème op mijn handen, u weet wel, van die crème die je huid heerlijk zacht en soepel houdt. Niet te geloven, toch? Maar goed, ik wilde eigenlijk vragen of ik het nog een keer mag proberen, als dat mogelijk is."

Kate lachte haar liefste lachje.

De lerares dacht even na. "Oké Kate," zei ze

toen en ze overhandigde Kate een lint.

Kates mond viel open. "Nú?"

"Ja."

Inmiddels hadden alle meiden in de gaten dat Kate om een tweede kans vroeg en het was een gebuzz van jewelste in de kleedkamer. Iedereen keek naar Kate.

Kate slikte moeilijk toen ze haar publiek zag. "Met alle liefde van de wereld," zei ze gemaakt opgewekt tegen coach Kelly. Toen ze zich omdraaide en recht in het gezicht van Lizzie keek, veranderde haar mierzoete lachje op slag in een zuur gezicht.

"Het kan mij niet schelen dat dit te suf voor woorden is," zei ze net hard genoeg dat Lizzie het kon horen. "En het is toevallig iets waarin ik óók weer beter ben dan jij. Let maar eens op."

Kate begon met het lint te draaien. Maar het lukte haar bij lange na niet om Lizzies prachtige optreden van daarnet te evenaren. Hoe meer Kate haar best deed, hoe krampachtiger het er uitzag.

Hun lerares zuchtte. "Mooi. Klaar?"

"Nee, wacht even!" jammerde Kate. Ze leek nu bijna op een mummie, zo veel linten had ze inmiddels om zich heen weten te draaien. "Ik weet het opeens... Er moet wel... iets heel erg mis zijn... met dit stomme lint!" piepte ze. Toen viel ze om.

"Kate, bedankt," zei coach Kelly op een toon van 'laat nou maar zitten'. Lizzie moest bijna hardop lachen. Toen hoorde ze de coach zeggen: "Ik wil even een woordje met Lizzie spreken."

Wát? dacht Lizzie in paniek. Waarom wil coach 'legerleider' Kelly met mij praten? Toen bedacht Lizzie zich dat Miranda naast haar stond en ze zuchtte van opluchting.

Pffff! Mijn beste vriendin zou me nooit alleen laten met coach Kelly.

Lizzie draaide zich om om Miranda's arm te pakken, maar haar vriendin was verdwenen!

Ik geloof dat het tijd is voor een Beste Vriendinnengesprek.

Lizzie kon nergens heen en voor ze er erg in had, stond ze oog in oog met de gevreesde gymjuf. Een vrouw wiens niet te missen stem zelfs op de maan gehoord kon worden.

De lerares gebaarde Lizzie dat ze moest gaan zitten.

"Lizzie," begon coach Kelly, die naast haar ging zitten, "in al mijn jaren als gymlerares heb ik nog nooit iemand op zo'n natuurlijke manier met ritmische gymnastiek bezig zien zijn als jij. Je bent als een vis in het water. Als een vogel in de lucht. Als een…"

'Suk' in het 'kel'.

Lizzie haalde haar schouders op. "Ja, het ging geloof ik best goed," gaf ze toe.

Ik kan ook heel goed boeren. Maar is het daarom een sport?

"Lizzie," ging de coach verder. "Ik wil graag dat jij de school vertegenwoordigt bij de komende Regionale Ritmische Gymnastiek Wedstrijden."

Lizzie knipperde van schrik met haar ogen. Dit kon niet waar zijn.

Zij was een zeventien-in-een-dozijn-meisje, een Gewone Greetje. Ze was nog nooit gekozen voor iets speciaals, en al zeker niet om haar school te vertegenwoordigen in een wedstrijd – ook niet bij zoiets sufs als ritmische gym.

"Pardon?" mompelde Lizzie, die dacht dat ze haar lerares niet goed had verstaan.

Maar dat was niet zo. Coach Kelly klopte haar op haar schouder en verzekerde haar dat ze een "ongelooflijk getalenteerd atleet" was.

"Echt?" vroeg Lizzie, nog steeds in shock.

"Nou, dat niet," moest de coach toegeven.

De waarheid was dat coach Kelly Lizzie McGuire wat sport betreft altijd een behoorlijk ongecontroleerd, ongemotiveerd en eigenlijk niet helemaal sporend meisje had gevonden. "Maar hier ben je goed in," verklaarde ze.

Lizzie beet uit frustratie op haar lip. Ze wist dat het bijzonder was dat de coach haar deze kans gaf, maar ze wist niet helemaal zeker of ze er nou echt blij mee was. "Misschien moet ik er even over denken," zei ze tegen de coach.

"Doe dat," zei coach Kelly knikkend. "We hebben het er nog wel over."

Intussen hingen Miranda en Gordo wat rond in de hal. Gordo was niet echt blij. Hij had de hele dag leerlingen lopen filmen, maar het perfecte onderwerp voor zijn documentaire had hij nog niet.

Een paar meter verderop stonden Kate en

haar cheerleadervriendinnetjes te roddelen. Ze keken op een bepaalde manier de kant van Miranda en Gordo op en dat stond Miranda niet aan.

Ze probeerde hen te negeren, maar toen ze de naam van Lizzie noemden en lachten, kon Miranda het niet nalaten om te roepen: "Is er soms iets grappig?"

"Ja," snauwde Kate. "Die vriendin van je. Ze zal wel ontzettend trots zijn dat ze eindelijk haar roeping heeft ontdekt. Koningin van de Suffe Lintjes."

Wat een heks is het toch, dacht Miranda. Maar ze kneep haar ogen cool tot spleetjes en keek de toverkol aan. "Laten we wel zijn, Kate," antwoordde ze. "Je bent gewoon stinkend jaloers omdat Lizzie dit geweldig kan en jij helemaal niet."

Kate keek Miranda even aan, maar zei geen woord. In plaats daarvan draaide ze zich om op haar goede hiel en liep weg.

Ik geloof dat Kate moeite heeft met de waarheid, dacht Miranda, die toekeek hoe Kates fanclub achter haar aan hobbelde. "Doei!" riep ze hen na.

Op dat moment kwam Lizzie de kleedkamer

uit en stevende recht op haar vrienden af.

"Wat moest coach Kelly van je?" vroeg Gordo. Hij had net het 'gezellige' gesprekje tussen Kate en Miranda gefilmd en bedacht zich dat hij zijn documentaire misschien 'Overleven op Junior High' moest noemen. Nu richtte hij zijn lens op Lizzie.

"Nou…" begon Lizzie en binnen twee minuten had ze Gordo en Miranda alles verteld over haar leven tot nu toe, inclusief het aanbod van de coach om voor Hillridge mee te doen aan de regionale wedstrijden.

"Maar ik moet het niet doen, hè?" maakte ze haar verhaal af. "Ik bedoel: we vinden het belachelijk, toch?"

Lizzie verwachtte dat Miranda meteen ja zou roepen, maar haar beste vriendin gaf niet meteen antwoord. Miranda had het te druk met bedenken hoe geweldig het zou zijn als Lizzie Kate de ogen uit kon steken met een glimmende gouden medaille.

"Toch?" herhaalde Lizzie. "We vinden het toch een belachelijke sport?"

"Nee," antwoordde Miranda. "Ik vind het wel cool."

"Doe normaal, Miranda," zei Lizzie. "We

weten allebei dat het volslagen stom is."

"Stóm is wel erg sterk uitgedrukt," z𝘶
Miranda. "Het is… stom-*mig*."

Gordo grijnsde. "Het belangrijkste is dat ik
eindelijk een echt onderwerp heb voor mijn
documentaire: Hier komt de kampioen."

"En het is in elk geval iets waarin jij beter
bent dan Kate," vond Miranda.

Lizzie dacht er even over na. "Dat is waar. Dat
is natuurlijk best leuk."

"Dus je gaat het doen?" wilde Gordo weten.

Lizzie zuchtte. Coach Kelly wilde dat ze het
deed. Miranda en Gordo wilden dat ze het
deed. Maar om de een of andere reden was ze
zelf nog niet overtuigd.

"Ik weet het niet," zei ze uiteindelijk.

"Dus jij vindt dat ik het moet doen?" vroeg Lizzie.

"Een olympische sport! Túúrlijk moet je het doen!" riep Lizzies moeder uit.

Toen de familie McGuire die avond aan tafel was geschoven om te eten, had Lizzie hun het grote nieuws verteld over coach Kelly en haar vraag of Lizzie mee wilde doen aan de regionale wedstrijden. Haar ouders waren door het dolle – natuurlijk. Hoe zouden ze anders moeten reageren? vroeg Lizzie zich af. In het Grote Handboek voor Ouders stond dat ze bij gelegenheden als deze helemaal in de wolken moesten zijn.

"Misschien worden de Olympische Spelen de volgende keer echt op een supergoede plek gehouden," zei Lizzies vader terwijl hij de schaal maïs pakte. "Misschien wel Hawaï. Of eh… gewoon hier in de buurt."

"Dus jullie vinden ritmische gymnastiek niet een tikkeltje… súf?" vroeg Lizzie.

"Tingelingeling!" brulde Lizzies jongere broertje, Matt. "We hebben een winnares!"

Meneer McGuire fronste. "Matthew."

Lizzie stak haar handen op. "Zie je? Zelfs mister Sukkeltje weet dat het suf is."

"Dank je," begon Matt en hij wilde verder gaan, toen hij zich realiseerde dat Lizzie het niet echt aardig bedoelde.

"Aan de andere kant," ging Lizzie verder, "hoeveel talenten heb je nou eigenlijk in je leven?"

"Ik zes," verklaarde Matt. "Ik kan met het puntje van mijn tong mijn neus aanraken. Ik kan iemands naam achteruit zeggen: Tarzan – Nazrat. Ik kan zeven lolly's tegelijk in mijn mond stoppen. Ik win het áltijd als ik staarwedstrijden hou met honden en…"

Lizzie rolde met haar ogen. Wat een idioot was hij toch! Ze negeerde hem en wendde zich tot haar vader. "Bovendien hebben jullie altijd gezegd dat ik álles kan wat ik wil."

Matts ogen werden groot. "Is dat zo?" vroeg

hij. Toen kneep hij zijn ogen tot spleetjes en keek hij zijn vader aan. "Dat heb je míj nooit verteld."

Meneer McGuire fronste weer. "Echt niet?"

Matt schudde zijn hoofd en Lizzie zuchtte. Het maakte niet uit of haar vader het wel of niet tegen Matt had gezegd. Matt bedacht zulke rare dingen, dat ze beter konden zorgen dat er hulptroepen paraat stonden als hij die plannen ging uitvoeren.

Na het eten dacht Lizzie nog uren na over de ritmische gymnastiek. Aan de ene kant vond ze het een stomme sport. Aan de andere kant vonden haar ouders, haar vrienden en haar juf allemaal dat ze gewoon mee moest doen.

Maar moest ze iedereen dan maar laten barsten gewoon omdat zij het een stomme sport vond?

WAAAH!
Ik krijg hier hoofdpijn van!

Uiteindelijk was het tijd om naar bed te gaan en Lizzie kroop onder haar dekbed. Eerst kon ze niet slapen, maar uiteindelijk vertrok ze toch naar dromenland.

"En de gouden medaille is voor… Lizzie McGuire!"

Lizzie zag zichzelf al staan op het hoogste deel van een enorm erepodium.

Tienduizenden toeschouwers stonden te roepen en klapten in hun handen. Iemand van de organisatie hing een grote, glimmende medaille om haar nek.

Het volgende moment zag Lizzie zichzelf in een open sportauto rijden. De auto reed mee in een optocht, die vanuit haar oogpunt één grote bloemenzee was. Op een grote vlag die boven de boulevard hing, stond: WELKOM THUIS, LIZZIE! HILLRIDGE IS TROTS OP JE! De toeschouwers brulden haar naam en ze liet iedereen haar medaille zien.

Op het volgende plaatje zag Lizzie zichzelf naar beneden komen om te gaan ontbijten. Er stond een doos cornflakes op tafel, waarop te lezen was: 'Superflakes, de cornflakes van ritmische gymnastiek kampioenen!'. Haar foto stond erbij.

Lizzie rolde zich om in haar slaap en lachte.

De volgende dag op school bespraken Gordo en Miranda de situatie rond Lizzie. Terwijl ze in het gras gingen zitten, zei Gordo: "We kunnen Lizzie niet dwingen om aan zoiets stoms mee te doen omdat ik toevallig een leuke documentaire wil maken en jij Kate wilt terugpakken."

"Waarom niet?" vroeg Miranda.

Gordo fronste.

"Oké," gaf Miranda toe. "Je hebt gelijk. Dat kunnen we niet maken."

"Als je tijdens de puberteit wordt vernederd, kan dat op de lange termijn zware psychologische gevolgen hebben," legde Gordo uit.

Miranda zuchtte. "Je hebt weer in de boeken van je vader zitten neuzen, hè?"

Gordo haalde zijn schouders op. "Er staan soms heel enge dingen in, weet je."

Op dat moment kwam Lizzie er aan. Ze zag er erg zelfverzekerd uit en stuiterde bij wijze van spreken hun kant op.

"Lizzie, we moeten met je praten," zei Miranda superserieus.

"Oh, mooi," vond Lizzie opgetogen. "Ik heb

gisteren de hele tijd over de ritmische gymnastiek lopen nadenken en ik heb er een flinke partij zelfvertrouwen van gekregen."
"En wat vóél je daarbij?" imiteerde Gordo
zijn psychiater-vader.
"Geweldig," zei Lizzie stralend. "Ik ga winnen, het gaat me lukken. Ik voel me sterk en
zelfverzekerd. Ik wilde ergens goed in zijn en
dat heb ik nu gevonden. Ik gá ervoor."
"Je gaat het doen?" vroeg Miranda stomverbaasd. Nog geen vierentwintig uur geleden
was haar vriendin het absoluut niet van plan
en nu praatte ze opeens heel anders. Een
beetje als iemand uit zo'n sportdrankreclame.
"Ik geloof dat we een doorbraak hebben
bereikt," constateerde Gordo.
"Dank je," zei Lizzie. Toen stuiterde ze weer
weg, op weg naar haar volgende les.
"En wat nu?" vroeg Miranda aan Gordo,
helemaal perplex. Ze had zich voorbereid om
Lizzie te steunen als die het gymnastieken op
zou geven.
Nu Lizzie er juist voor wilde gaan, was
Miranda toch wel een beetje de kluts kwijt.
Bovendien klonk Lizzie niet meer als Lizzie.
Gordo haalde zijn schouders op. Hij ging niet

moeilijk doen over iets wat zijn leven er in elk geval makkelijker op maakte. 'Wat nu?' was voor hem een makkelijk te beantwoorden vraag: licht, camera, actie!

HOOFDSTUK 5

Prrrr! Prrrr! Prrrr!

Met haar ogen nog stijf dicht, gaf Lizzie haar wekker een flinke mep. Waarom wordt het toch zo vróég dag? klaagde ze bij zichzelf.

Het was vijf uur 's ochtends, tijd om fris en fruitig uit bed te komen. Binnen een uur zouden er twee dingen gebeuren.

Ten eerste zou de zon op komen (als alles goed ging) en ten tweede zou ze coach Kelly op het sportveld ontmoeten, zodat ze alvast een training achter de rug zou hebben voordat de school begon. Ná schooltijd volgde er nog een training, dat ook. Zo zag haar schema eruit voor de komende weken – dat was duidelijk geworden toen ze de uitdaging aanging om over drie weken mee te doen aan de regionale wedstrijden.

Maar Lizzie was niet gewend om zo vroeg uit de veren te komen en ze viel meteen weer in slaap. Tot iemand haar arm zo ongeveer uit de kom trok. Ze deed haar ogen open en zag dat Gordo naast haar bed stond.

Hij schudde haar wakker. Tegelijkertijd filmde hij haar voor zijn documentaire 'Hier komt de kampioen'.

Ooooh, Gordo! dacht Lizzie. Kon hij geen andere film maken, eentje genaamd 'Laat mij lekker pitten'?

Maar het was al te laat. Ze had zelf gezegd dat het goed was als hij bleef logeren zodat hij haar eerste momenten tijdens de training vast kon leggen. Hij had in Matts kamer geslapen en haar wekker gehoord. Nu speelde hij de regisseur en had zij zin om te gaan gillen. Ze gooide het dekbed van zich af en waggelde haar bed uit.

In de keuken van de McGuires filmde Gordo hoe mevrouw McGuire zes eieren brak en in een groot glas liet rollen. Volgens coach Kelly was deze proteïnedrank hét ontbijt voor kampioenen. Maar volgens Lizzie was het smerige goedje niet naar binnen te krijgen. Ze paste het plan snel aan en bakte de eieren.

Ik heb ook mijn grenzen, dacht ze.

Gekleed in een T-shirt en een joggingbroek, ging Lizzie naar haar lerares om haar workout te doen.

Elke dag ging het hetzelfde: ze rende rond het veld, oefende met de hoepel, het lint en de kegels. Om kracht op te bouwen moest Lizzie een miljoen sit-ups doen en met gewichten stoeien. Om leniger te worden deed ze strekoefeningen. Coach Kelly verwachtte elke keer meer van haar.

Ritmische gymnastiek werd Lizzies leven. Door de week trainde ze twee keer per dag en in het weekend twee keer een hele dag. Elk moment van de dag dacht ze aan haar oefening. Ze liep door het huis met een hoepel om haar middel, poetste haar tanden terwijl ze kegels door de lucht liet vliegen.

En elke nacht droomde ze van kegels met lachende gezichtjes, die een dansje deden.

Twee weken na het begin van haar trainingen was Lizzie uitgeput.

"Waaah," zei Miranda toen ze haar beste vriendin halfslapend tegen een kluisje zag leunen. "Volgens mij kun je elk moment omvallen."

"Dat valt dan nog mee vergeleken met hoe ik me voel," geeuwde Lizzie. "Ik ben gebroken. Ik ben moe. Ik heb honger. En ik wou dat ze me naar een of ander eiland stuurden."

"Goedemorgen, superster!" zei Gordo opgewekt. Hij liep naar Lizzie toe, zoals gebruikelijk kijkend door de lens van zijn camera. "Had ik al eens gezegd dat je het heel goed doet op film? Deze documentaire wordt echt heel goed. Ik denk dat je daar ook voor in de prijzen gaat vallen."

Net op dat moment kwamen Kate en haar bende voorbijlopen. Dat wil zeggen: de bende liep, want Kates voet zat nog steeds in het verband en dus hupste zij meer.

"Toe maar," snauwde Kate naar Lizzie. "Als we daar juffie Ritmische Gym niet hebben."

"Heb je al een nieuw emailadres, Lizzie? Lizzie-@-superverliezer.com?"

Gordo richtte zijn camera hoger.

"Zou je dat even kunnen herhalen, Kate?" vroeg hij. "Ik vind het leuk om ook een verbitterd, talentloos meisje aan het woord te laten komen."

Kate keek hem aan.

Lizzie zuchtte.

Ze had geen zin om hier nog langer over door te ruziën. "Kate, jij bent overál goed in," zei ze serieus. "Is het dan zo erg als iemand in één dingetje beter is dan jij?"

Kate stak haar kin in de lucht. "Ik wil niet dat mislukkelingen als jullie straks denken dat je heel wat bent. Je kunt nu je beste beentje wel voorzetten, maar ik hou je in de gaten, McGuire. Straks is het mijn beurt weer."

Lizzie kneep haar ogen tot spleetjes. "Lijkt me toch lastig, je beste beentje voorzetten met zo'n zwachtel eromheen."

Kate sputterde nog wat, maar ze wist niet wat ze hierop moest zeggen. Boos draaide ze zich om en hobbelde weg.

Die middag na school werkte Lizzie zo hard als ze nog nooit had gewerkt. Het was een fantastische training, die Gordo helemaal vastlegde.

Lizzie gooide de hoepel meters de lucht in, maakte twee radslagen en ving de hoepel precies op tijd, waarna ze eindigde in een perfecte spagaat. Prachtig!

"Voortreffelijk!" juichte coach Kelly. "Nog een keer. Ik wil er nog vijf zien."

Lizzie knikte en liep terug naar haar startplek. Gordo stopte even met filmen. Op dat moment werd zijn aandacht getrokken door iets aan de andere kant van het veld. Hij drukte op de zoomknop van zijn camera om goed te kunnen zien wat er precies aan de hand was.

Aan de andere kant van het hek stond Kate Sanders. Ze zag ongeveer groen van jaloezie. Kate had genoeg gezien. Ze draaide zich om en liep regelrecht de school weer in. Op de tweede etage gluurde Kate om de hoek van een deur en daar stond precies de persoon die ze hoopte te vinden: Larry Tudgeman. Hij was, in zijn uppie, bezig met een extra scheikundeproject.

Natúúrlijk, dacht Kate. Waar zou een eerste-klas nerd als Larry anders mee bezig zijn na schooltijd? Voorzichtig keek ze de hal in. Ze moest zeker weten dat niemand haar zag praten met Larry Sukkelman. Toen ze zeker wist dat de kust veilig was, liep ze het scheikunde-lab in.

"Hai, Larry," zei ze. Haar stem droop van nep-vriendelijkheid.

Tudgeman probeerde niet om te vallen van de schok. "Hoi K-k-kate."

"Weet jij hoe ik heet?" vroeg Kate zo verrast mogelijk. "Ik wist niet eens dat jij wist wie ik was."

"Ik?" vroeg Larry nu helemaal in shock. "Niet weten wie jij bent?" Hij lachte ner-veus. Het klonk als het gebalk van een ezel.

Kate deed erg haar best om niet te laten mer-ken dat ze er kotsmisselijk van werd. In plaats daarvan richtte ze haar aandacht op Larry's scheikundeproject.

"Wauw. Dat ziet er ingewikkeld uit," riep ze enthousiast.

Larry haalde zijn schouders op. "Valt wel mee, hoor. Ik ben wat aan het rommelen met bacteriën die immuum zijn voor aspirine."

Kate stapte verschrikt naar achteren. "Oh."

"Geintje," grijnsde Larry. "Het is klei."

"Had ik toch gezien?" glimlachte Kate weer op haar allerliefst. Het liefst had ze die stomme grijns van dat hoofd af willen slaan. Wie maakte er nou grapjes over bacteriën?

Kate probeerde haar opstandige gevoel even opzij te zetten en schoof wat dichter naar Larry toe. "Larry, zou ik je iets mogen vragen?"

Met ogen als die van een puppy keek Larry haar aan. Het mooiste, populairste meisje van school wilde hem iets vragen. Dit was een droom die uitkwam.

De dagen vlogen voorbij en al snel was het De Avond voor de Grote Regionale Wedstrijd. Mevrouw McGuire stak haar hoofd om de deur van Lizzies kamer. Ze wilde Lizzie laten zien hoe mooi haar kostuum geworden was. Maar Lizzie was er niet.

Mevrouw McGuire keek in de woonkamer, daarna op de veranda, maar Lizzie was nergens te vinden. Uiteindelijk vond ze haar in de keuken.

"Lieverd, wil je dit even passen?" vroeg

mevrouw McGuire terwijl ze het kostuum omhoog hield. "Mmm, dat ruikt lekker. Wat ben je aan het maken?"

"Chocoladekoekjes," zei Lizzie vlak.

Mevrouw McGuire fronste. "Is er iets?"

"Nee, hoezo?" vroeg Lizzie.

"Nou," zei haar moeder, "de avond voor je naar de middelbare school ging, bakte je brownies. Toen je parkiet was weggevlogen, ging je muffins bakken. Toen Miranda een maand op vakantie ging, bakte je bananen-brood. En nu bak je chocoladekoekjes. Je bákt. Dus is er iets."

Het punt is dat ik een gouden medaille probeer te winnen met iets mega-sufs.

"Ik denk dat ik een beetje zenuwachtig ben voor morgen," loog Lizzie.

"Ach lieverd, je hebt zo hard gewerkt en er zo je best voor gedaan," zei haar moeder.

Lizzie haalde haar schouders op. Sorry mam, dacht ze. Dit klonk als een zinnetje uit het Moeder-Dochter Handboek, pagina 103 om precies te zijn. Op papier ziet het er goed uit, maar het helpt echt niet.

"Weet je wat het is?" vroeg haar moeder. "Het gaat erom dat je iets doet wat je erg leuk vindt en dat je er je uiterste best voor doet. En pap en ik zijn toch wel trots op je, hoe dan ook."

Lizzie knikte. Meer van hetzelfde, dacht ze, terwijl haar moeder een lik van het overgebleven deeg nam.

"Maar volgens mij ga je winnen," zei mevrouw McGuire grijnzend.

Ze meende het nog ook, dacht Lizzie. Alleen al daardoor voelde ze zich beter – tot Matt binnen kwam.

"Tuurlijk wint ze!" meende hij. Hij greep een koekje dat lag af te koelen op het aanrecht. "Ze is toch Kampioen Sukkeltje?"

HOOFDSTUK 6

"Dat was Tracy Curtis van Fair Oaks Middle School. Hierna Lizzie McGuire van Hillridge Junior High!"

Toen de omroeper haar de volgende dag aankondigde, voelde Lizzie een knoopje in haar maag. Al die trainingen, al het harde werken – het kwam aan op dit ene optreden!

Iedereen was er. Haar ouders, haar coach, haar vrienden. Zelfs haar vijanden zaten op de tribune. Kate Sanders en haar vriendinnen hadden de moeite gekomen om naar de wedstrijd te gaan – en Lizzie wist dat dat niet was om haar aan te moedigen. Kate kon natuurlijk niet wachten om Lizzie af te zien gaan!

Lizzie haalde diep adem en schudde alle gedachten uit haar hoofd, de slechte en de goede. Ze ging in het midden van de grote blauwe mat staan. Oké, dacht ze. Laat het maar snel afgelopen zijn.

Onder de vlaggen die bovenin de zaal waren opgehangen, zaten honderden mensen. Alle ogen waren op haar gericht. Ze zag dat haar ouders óp waren van de zenuwen, ondanks het feit dat ze hun uiterste best deden om haar zo vrolijk mogelijk toe te juichen.

Aan de zijkant stond Gordo, zijn camera in zijn hand. Hij probeerde de perfecte filmplek te vinden en terwijl hij een stap deed, struikelde hij over een tas. Hij wist zichzelf op te vangen, maar vanuit de vreemde hoek waarin hij verkeerde zag hij iets wat volgens hem niet helemaal in de haak was. Hij gebruikte weer de zoomlens van de camera om de boel beter te kunnen bekijken. Hij gebaarde Miranda dat ze dichterbij moest komen.

"Gordo, wat ben je aan het doen?" vroeg Miranda.

Hij vertelde haar wat hij vermoedde en snel verliet Miranda de zaal. Op dat moment begon de muziek, die echode in de ruimte. Lizzie begon met de hoepel en werkte haar oefening af. Het ging geweldig. Het publiek klapte en Lizzie grijnsde.

Gordo filmde alles met uiterste precisie. Halverwege het tweede stuk gooide Lizzie de hoepel in de lucht, deed ze twee radslagen en kwam ze overeind om de hoepel te vangen. Maar die kwam niet naar beneden! Lizzie wist niet wat ze nu moest doen. Ze wachtte een seconde en nog een en nog een…

Niet vergeten:
extra hoepel
meenemen.

"Lizzie!" riep Gordo haar zachtjes vanaf de zijlijn. Ze keek naar hem en hij wierp haar een lint toe.

Lizzie pikte de oefening meteen weer op en ging verder – nu met een lint.

Gordo aan de zijlijn had precies in de gaten wat er was gebeurd. Hij had Larry net stiekempjes rond zien lopen. Het was duidelijk: hij moest die hoepel gegrepen hebben om

Lizzie een oor aan te naaien. Gordo begreep wel hoe dat zat. Hij keek door zijn camera naar Kate Sanders in het publiek. Haar zelfingenomen gezicht straalde tevreden.

Maar inmiddels was Miranda bij Larry aangekomen. "Laat vallen, Tudgeman," gromde ze.

Larry draaide zich verbaasd om. Hij had Lizzies hoepel in zijn hand.

"Dat kan niet," smeekte hij. "Dan houdt Kate niet meer van me."

Miranda kneep haar ogen tot spleetjes en greep de brandblusser die pal naast haar hing. "Zal ik dan maar, Tudgeman?"

Larry keek haar verschrikt aan en liet de hoepel los. Beneden op de vloer sloot Lizzie net haar oefening af toen de hoepel weer omlaag kwam zeilen. Vanuit haar ooghoeken zag Lizzie het ding al aankomen en ze was inmiddels zo gewend om hoepels te vangen, dat ze hem met groot gemak uit de lucht plukte en haar oefening afsloot met een prachtige spagaat.

Het publiek klapte uitbundig. Voor hen leek het erop dat het hele gedoe met de verdwijning en later de terugkeer van de hoepel bij de show hoorde. De jury dacht dat ook.

Lizzie kreeg de meeste punten van allemaal. Kate was ontzettend boos toen ze het applaus hoorde. Maar van de punten werd ze knalrood. Ik ga Larry met mijn blote handen vermoorden, beloofde ze zichzelf. Ze sprong op. Maar nog geen paar meter verder werd haar pad geblokkeerd.

Gordo stond pal voor haar, zijn camera in zijn hand. "Ga je ergens naartoe, Kate?" vroeg hij. Hij zoomde in om haar reactie goed vast te leggen.

Kate probeerde minder boos te kijken. "Ik ga eh… een luchtje scheppen."

"De camera ziet alles, schattebout," kweelde Gordo toen Miranda aankwam met Larry in haar kielzog.

Miranda en Gordo keken elkaar even aan. Dit was nog eens teamwork! Kate en Larry waren er gloeiend bij!

De uitreiking van de prijzen was aan het eind van de dag. Lizzie was zelf diep onder de indruk van de resultaten.

"De eerste plaats is voor… Lizzie McGuire!" kondigde de omroeper aan. Het publiek juichte luid. Het was net als in haar droom.

Een van de juryleden hing een gouden medaille om haar nek en iedereen kwam haar feliciteren.

"We zijn zo trots op je!" riep mevrouw McGuire die op Lizzie af kwam rennen.

"Onze kleine kampioene," zei meneer McGuire en hij gaf haar een dikke knuffel. "Je hebt het echt super gedaan, liefje. Moet je die medaille zien!"

"Ja, goed hè?" zei Lizzie. Ze schraapte haar keel. "Maar mag ik nu heel eerlijk zijn?"

"Dat mag je toch altijd?" zei mevrouw McGuire.

"Nou," begon Lizzie, "ik vind het helemaal geweldig dat jullie me zo steunen en zo…"

"Lizzie, je hoeft ons toch niet te bedanken?" onderbrak haar moeder haar.

"We hebben ervan genoten," voegde haar vader er aan toe.

"Ik was nog niet klaar," zei Lizzie droogjes.

"Oh," zeiden haar ouders.

Ze keken een beetje gekwetst en Lizzie voelde zich rot.

"Nee, jullie hebben me echt super gesteund," zei ze snel. "Maar toen die hoepel niet naar beneden kwam… vond ik dat eigenlijk fantastisch. Het mooiste moment uit mijn leven."

Meneer en mevrouw McGuire keken elkaar verbaasd aan. "Ik… begrijp het niet," zei Lizzies moeder.

"Ik ook niet," zei haar vader.

Lizzie zuchtte. Het was tijd dat ze open kaart speelde. "Ik háát ritmische gymnastiek."

Mevrouw McGuire keek nog verbaasder. "Maar je bent er zo goed in!"

"Ja," vond ook meneer McGuire.

"Nou ja, dat is dan ook echt het enige wat ik er leuk aan vind," bekende Lizzie. "Maar als ik er nou eigenlijk niks aan vind, waarom dóe ik het dan?"

Haar ouders keken elkaar bezorgd aan. Lizzie wist dat ze er niet van hielden als iemand zomaar het bijltje erbij neergooide. Dat was ook een van de redenen geweest waarom ze door was gegaan met deze wedstrijd. Ze wilde niemand teleurstellen.

Maar nu het voorbij was, moest ze eerlijk zijn. Voor zichzelf. Anders zou ze nog uren, dagen, maanden bezig zijn met het leven van een leven dat iemand ánders misschien leuk vond, maar zij niet. Met het bereiken van het doel dat iemand ánders wilde bereiken, niet zij.

"Ik werk liever nóg harder voor iets wat ik écht leuk vind, ook al duurt het dan misschien langer voor ik er iets mee bereik," zei Lizzie. "Is dat goed?"

"Natuurlijk is dat goed," zei haar vader.

Haar moeder knikte. "Lieverd, wat je ook doet, je vader en ik zullen er zijn om je aan te moedigen."

Lizzie lachte opgelucht. "Ook al ga ik een hondensleerace doen op de Noordpool?"

Meneer McGuire krabde aan zijn kin. "Nou, misschien moeten we dat dan maar op tv volgen."

Aan het begin van de avond zaten Lizzie, Miranda en Gordo in Lizzies kamer. Ze aten popcorn en speelden kaartspelletjes. Lizzie was ongelooflijk gelukkig. Voor de eerste keer in weken had ze weer eens tijd voor haar vrienden. En morgenochtend mocht ze uitslapen zolang ze wilde! En nu de wedstrijd achter de rug was, kon ze ook wel bekennen dat ze het ontzettend cool vond om een gouden medaille in huis te hebben.

"Jullie hebben me echt gered," zei ze tegen haar beste vrienden.

"Dat is zo," zei Gordo.

"Je maakt het nog wel een keer goed met ons," zei Miranda.

Goedmaken? dacht Lizzie. "Hé," protesteerde ze. "Hoor je nu niet gewoon 'daar heb je vrienden voor' te zeggen?"

"Zeg eh…" wuifde Miranda haar opmerking weg. "Die tijd hebben we gehad, hoor."

Lizzie lachte. "En Gordo, wanneer krijgen we jouw meesterwerk nou eens te zien?"

"Nou, om eerlijk te zijn is het een beetje anders geworden dan ik in mijn hoofd had," bekende Gordo. Hij haalde zijn camera tevoorschijn en drukte op de play-knop. De drie vrienden keken naar het kleine scherm op de camera.

'Hier komt de kampioen' ging niet over Lizzie die trainde of meedeed aan de wedstrijd. Er waren alleen stukjes te zien van een jaloerse Kate.

"Weet je eigenlijk wel wat dit betekent?" vroeg Miranda.

"Ja," grijnsde Lizzie. "Het is het levende bewijs dat Kate Sanders jaloers is op MIJ!"

De week daarna op school liep Lizzie door de bekende hal van Hillridge, maar alles zag er anders uit. Nu ze zelf een gouden medaille op zak had, leken al die getalenteerde mede-leerlingen opeens een stuk… minder getalenteerd.

Moet je die Ricky Mercado zien, dacht Lizzie terwijl ze toekeek hoe hij een cijferlijst aan het bord checkte. Goede leerling, dat wel natuurlijk. Maar zit 24 uur per dag met zijn neus in de boeken…

Slim is ie.
Maar voorbestemd om zijn leven eenzaam en zonder dates door te moeten brengen.

Daar had je Ivana Peters, de prima ballerina, die haar oefeningen deed bij haar kluisje…

En daar had je Larry Tudgeman en zijn enge harige vriendjes. Ze waren weer bezig met een of ander project…

Uiteindelijk had Lizzie in de gaten dat haar klasgenoten helemaal niet waren veranderd. Zíj was veranderd. Door heel hard te werken en met hulp van haar twee beste vrienden was het haar gelukt ergens in uit te blinken. Oké, het was misschien nog suffer dan olie- bollen rollen, maar het bewees wel dat ze voor goud kon gaan en het nog binnen kon slepen ook. En dat was nou precies waar het om ging.

En wat mijn toekomst betreft... Laat ik het zo zeggen: hoepels en linten hebben er niks mee te maken. Ik denk zelf meer aan eerste vrouwelijke minister- president, astronaute, mevrouw- Hollywoods-hottest-filmstar. Je hoort nog van me.

HOOFDSTUK 1

"Oké, iedereen luisteren!" blafte coach Kelly. "Vandaag doen we mee aan de Presidentiële Fitness Workout!"

Waarom niet gewoon de Presidentiële Iets-Waar-Lizzie-Goed-In-Is Workout?

Lizzie onderdrukte een geeuw en ze draaide zich om naar Miranda en Gordo, die ook in het gymlokaal waren. Het was bijna lunchtijd en het was erg warm. "Ik wil geen workout," fluisterde ze. "Ik wil slapen."

"Hé, hou jullie mond eens even!" kraakte Lizzies-al-eeuwen-Grote-Liefde Ethan Craft. "De president komt!"

Gordo moest moeite doen niet in lachen uit te barsten en Lizzie en Miranda knipperden met hun ogen. Zuchtend staarde Lizzie naar Ethan en besloot dat een meisje soms maar moest accepteren dat een superknap koppie soms gepaard gaat met superweinig herseninhoud.

"De bedoeling van deze oefening is dat jullie aan de rekstok hangen tot je armen eraf vallen," legde coach Kelly uit. Ze wees naar de rekstokken die waren uitgestald. Er was plek genoeg voor twee jongens en twee meisjes.

Coach Kelly had wel eens eerder de jongens- en meidengymlessen gecombineerd.

Zo hadden ze ooit eens als echte cowboys leren *squaredancen*. Waarschijnlijk was het bij deze Presidentiële Fitness Workout niet de bedoeling dat ze bleven *doe-ie-doe'en* tot de "koeien thuiskwamen".

Gordo stak zijn hand op.

De juf knikte. "Meneer Gordon."

"Wat heeft aan een rekstok hangen precies met fitness te maken?" vroeg hij.

De lerares moest er even over nadenken. "Vraag dat maar aan de President," blafte ze uiteindelijk en ze sloeg haar blok dicht. "Oké, Sanchez, Gordon, Craft, McGuire! Jullie zijn eerst!"

Yés, dacht Lizzie terwijl ze samen met de anderen bij de rekstok ging staan. Ze pakten allemaal de rekstok vast en wachtten op het startsein.

"Klaar?" riep de lerares, de stopwatch in haar hand. "Drie, twee, één!"

Alle vier trokken ze zichzelf zo ver op dat hun kin boven de lat uit kwam. Lizzie vond het een makkie.

Je hebt er natuurlijk niks aan, aan zo'n rekstok hangen, maar echt moeilijk is het niet.

"Dit is lang niet zo moeilijk als ik dacht dat het was," verklaarde Lizzie.

"Nou," zei Miranda, die haar best moest doen om de stok niet los te laten. "Het is… echt… een eitje."

Twee seconden later stond Miranda op de grond. "Aaah!" riep ze toen ze richting gymvloer viel.

"Sanchez, wegwezen!" commandeerde de juf en ze schreef Miranda's tijd op in haar blok.

"Weet je…" zei Gordo die nu erg begon te zweten. "Ik geloof nooit dat de president dit zelf ook doet… Toch vanavond maar eens naar het journaal kijken of…"

Gordo hield zijn mond toen hij in de gaten kreeg dat hij het niet nog een seconde langer uithield.

"Aaaah!" riep hij en toen was ie weg.

"Gordo, van de vloer!" riep de juf.

Lizzie hing nog steeds moeiteloos aan de rekstok en keek even de kant van Ethan op. Dit was nog eens romantisch! "Word je al moe?" vroeg ze aan haar liefdesobject.

Ethan slikte. Het zweet stond op zijn voorhoofd. "Ik warm net een beetje op," zei hij.

"Ik ook," beaamde Lizzie met een grijns. Dit

wordt een dikke vette tien, dacht Lizzie.

Coach Kelly keek op de stopwatch en knikte goedkeurend. "Volhouden, McGuire en Craft," zei ze. "Nog tien seconden en jullie hebben het schoolrecord verbroken."

Lizzies ogen werden groot. "Hoorde je dat, Ethan?" vroeg ze.

"Ja. Record." Het lukte Ethan net die twee woorden uit te spreken. Hij moest zijn uiterste best doen om met zijn inmiddels kletsnatte handen de lat beet te houden.

Twee seconden later was het gebeurd. "Die rekstok! Hij is kleddernat!" klaagde hij. "Het is niet eerlijk!"

Lizzie verkeerde nog steeds in haar kleine record-wereldje. "Dat zou echt cool zijn," prevelde ze, nog steeds met gemak aan de rekstok hangend. "Lizzie en Ethan verbreken het schoolrecord," ging ze verder. "Hoorde je dat, Ethan?"

Lizzie verwachtte dat Ethan het met haar eens zou zijn, maar ze hoorde niets.

"Ethan?"

Uiteindelijk draaide Lizzie haar hoofd om. Ze hing er nog in haar eentje!

Ethan is ervandoor!

"Oké," zei coach Kelly tegen de klas. "Een applaus voor mevrouw McGuire, de nieuwe schoolrecordhouder rekstokhangen!"
Iedereen begon te klappen voor Lizzie.
Verbaasd liet ze de rekstok uiteindelijk los.
Ik ben niet gewóón fit, dacht Lizzie. Ik ben presidentieel fit!

Tijd om mijn koffers te pakken. Raad eens wie er in het Witte Huis gaat wonen?

Een uurtje later bij de lunch zaten Lizzie, Miranda en Gordo samen aan een zonnige tafel buiten bij de kantine.

"En toch geloof ik niet dat je een poos aan een rekstok moet kunnen hangen om president te worden," gromde Gordo. "Ik heb er nooit iets over gelezen in de grondwet."

Miranda rolde met haar ogen. Laat toch zitten, Gordo, dacht ze, en ze richtte zich tot Lizzie. "Ik kan nog steeds niet geloven dat je iedereen achter je liet. Ik bedoel: zelfs Ethan!"

Lizzie haalde haar schouders op. "Ach, zo bijzonder is het niet."

Ze nam een slokje van haar sap en grijnsde. "Hoewel, het is eigenlijk best heel cool."

En dat zomaar even op een ochtend.

Op dat moment kwam Ethan naar hun tafel toelopen, zijn vriendjes in zijn kielzog. Thomas was een knappe en populaire leerling op Hillridge. Eigenlijk leek hij best veel op Ethan, moest Lizzie toegeven.

"Hai Lizzie," zei Thomas.

Lizzie lachte. "Hai Thomas."

"Ik hoorde dat je de vloer hebt aangeveegd met die Ethan," zei hij en hij gebaarde naar zijn vriend.

Ethan knikte lachend naar haar. "Ik wilde even de nieuwe recordhouder komen feliciteren. Lizzie, ik wil je wel een hand geven, maar het is niet de bedoeling dat je hem bréékt." Hij lachte. Lizzie bloosde.

"Maak je niet druk, Ethan," plaagde ze. "Ik zal je geen pijn doen."

"Ze maakt hooguit korte metten met je trots," flapte Miranda eruit.

"Miranda!" zei Lizzie, die Ethans lach in een beschaamde frons zag veranderen.

Lizzie vond het leuk dat ze het record had verbroken. Maar ze wilde per se niet dat het de vriendschap tussen haar en Ethan zou verpesten. Het is jammer dat Miranda niet weet wanneer ze haar grote mond nou eens een keer dicht moet houden, dacht Lizzie.

Thomas gaf zijn vriend een por. "Dat neem je toch zeker niet, Ethan?" plaagde hij.

Ethan dacht even na en haalde zijn schouders op. "Ik wil de wedstrijd best overdoen," zei hij. "Als de dame het ook wil."

Gordo schudde zijn hoofd. "Ja, dat is erg, hè? Verliezen van een meisje. En om nu mijn mannelijkheid te bewijzen ga ik haar verslaan waar al mijn vriendjes bij zijn."

"Zo zit het helemaal niet, Gordo," zei Ethan stellig. Hij keek een beetje schaapachtig. "Ik weet niet eens wat het betekent."

"Geeft niks, Ethan," zei Lizzie snel. Ze wilde niet dat het uit de hand liep. "Het was gewoon toeval hoor, in de gymzaal."

Maar zo makkelijk kwam ze er bij Thomas niet vanaf. "Waarom doen jullie niet een potje armpje drukken?" stelde hij nogal luid voor. Zo luid dat iedereen die in de buurt zat het wel moest horen.

Ethan krabde aan zijn kin en probeerde zijn kansen in te schatten. Volgens hem zat het wel snor. "Wat denk je daarvan, McGuire?" vroeg hij.

"Yés!" riep Miranda.

Lizzie trok haar wenkbrauwen op. Armpje drukken met een jongen, dat was nogal stom. Maar iedereen keek haar zo verwachtingsvol aan. Bovendien: dit was haar kans om Ethans hand vast te houden! "Goed," zei ze.

Lizzie ging staan, verschoof een stukje en ging toen tegenover Ethan zitten. Meteen kwamen er allerlei jongens en meiden van nabijgelegen tafeltjes om hen heen staan. Als Ethan Craft ging armworstelen met Lizzie McGuire, dan wilde niemand daar iets van missen!

Lizzie en Ethan zetten hun ellebogen op de tafel en sloegen hun handen ineen.

"Oké," zei Miranda, die haar eigen hand daar weer op legde. "Ik ga van drie-twee-een-nu! en dan beginnen jullie. Begrepen?"

"Begrepen," zeiden Ethan en Lizzie.

"Drie… twee… een… nu!" brulde Miranda. Een halve seconde gebeurde er niks met de handen van Lizzie en Ethan. Toen kreeg Ethan, heeeeel langzaam, overwicht en duw-de hij heeeeel langzaam Lizzies arm richting de tafel.

"Lizzie, Lizzie, Lizzie," zei Ethan met een zelfverzekerde blik.

De jongens begonnen te roepen en schreeu-wen. Lizzie beet op haar tanden en gaf tegen-gas. Heel langzaam duwde ze Ethans arm terug, beetje bij beetje. De meiden begonnen te klappen en juichen.

Ethan probeerde terug te komen, maar het mocht niet baten. Lizzie concentreerde zich zo goed dat Ethans arm steeds verder richting de tafel ging. De jongens werden stil. Ethan ging verliezen!

"Lizzie, Lizzie, Lizzie," wist Ethan er uitein-delijk nog een keer uit te persen, maar nu klonk hij lang zo zelfverzekerd niet meer. Hij klonk meer… bang!

In een laatste krachtsuitspatting duwde Lizzie Ethans arm en hand tegen de tafel. Iedereen was doodstil.

"Gelukt!" juichte Lizzie. Waaah, dacht ze, goed dat ik zoveel getraind heb voor die rit-mische gymnastiek.

Op dat moment barstte iedereen om haar heen in gejuich uit – ze realiseerden zich dat ze getuigen waren geweest van iets héél bij-zonders!

HOOFDSTUK 2

Het was algemeen bekend dat Matt McGuire een genie was als het om duivelse dingen ging, maar met wiskunde liep het niet zo lekker.

"…en je gaat niet weg voordat je huiswerk klaar is," verklaarde mevrouw McGuire.

Matt zuchtte aan zijn bureautje in zijn kamer. Hij had de hele week al zijn huiswerk al verprutst. Mevrouw Chapman had vandaag zijn moeder gebeld om het haar te vertellen.

"Mam, heb je er wel eens bij stilgestaan dat ik misschien niet voor wiskunde in de wieg ben gelegd?" vroeg Matt kalmpjes.

"Nee," snauwde mevrouw McGuire. Daarna draaide ze zich om en liep de kamer uit. Ze deed de deur dicht.

"Het is niet eerlijk," klaagde Matt.

Hij keek om zich heen wat hij kon gaan doen – het maakte niet uit wát – maar hij werd aangestaard door de stapel multiple choice vragen op zijn bureau.

Aaah, dacht hij, computerspelletjes. Hij deed zijn computer aan. Maar die had zijn moeder al op slot gedaan. Haar gezicht verscheen in beeld en ze zei: "Aan je huiswerk! Aan je huiswerk!"

Matt rilde en zette het ding snel uit. "Goed van haar bedacht," moest hij toegeven.

Hij keek weer rond. Kom op, er moest toch iets te doen zijn om zijn tijd mee te verknoeien? Op het bureau lag een rol plakband. Hij pakte hem en begon er stukken vanaf te trekken.

Een half uur later deed mevrouw McGuire de deur van Matts kamer open om iets lekkers te brengen. Matt draaide zich om op zijn bureaustoel en stak zijn armen in de lucht. "De tot leven gekomen McGuire-mummie!" brulde hij.

Mevrouw McGuire staarde naar haar zoon. Hij zat van top tot teen onder de plakband. Er was maar een ding wat ze nu kwijt wilde: "Matt, aan je huiswerk!"

Mevrouw McGuire zette haar dienblad op het bureau en liep naar de deur. "En veel plezier met het eraf trekken van dat plakband, liefje," zei ze nog over haar schouder.

Matt trok zijn wenkbrauwen op. Wat bedoelt ze daar nou weer mee? dacht hij.

Vijf seconden later hoorde mevrouw McGuire het geluid van plakband dat ergens afgetrokken wordt. Gevolgd door een luid "Aaaaah!". Mevrouw McGuire lachte alleen maar.

Matt duwde zijn gehavende gezicht op het koele houten bureaublad. Na een paar minuten viel hij in slaap.

Nog geen tien tellen later verscheen er een harig figuur voor het openstaande raam. Hij deed het gordijn opzij en kwam binnen. Het was Fredo, een chimpansee die een eindje verderop woonde. Hij ging op het bureau zitten.

Terwijl Matt sliep, begon Fredo met een potlood het huiswerk in te vullen. Geen vraag sloeg hij over. Toen hij klaar was, dronk de aap het glas sap leeg, at de banaan op en klom weer uit het raam.

Op dat moment werd Matt wakker.

"Vampieren!" zei hij met grote ogen. Toen schudde hij zijn hoofd en had hij in de gaten dat hij had gedroomd.

"Hé!" riep hij toen hij het ingevulde huiswerk zag. "Dit is klaar!"

Nou mooi, dacht hij bij zichzelf. Sommige mensen slaapwándelen. Ik maak mijn huiswerk als ik slaap. Hij gaf zichzelf een klopje op zijn schouders. "Goed gedaan, Matt."

Intussen zaten Lizzie, Miranda en Gordo aan de andere kant van de stad in de Digital Bean, hun favoriete cybercafé.

Ze dronken smoothies. Iedereen die in de buurt was, had naar Lizzie gewezen of was naar haar toegekomen om te vragen of zij degene was die Ethan had verslagen.

"Hé Lizzie, laat je spierballen eens zien!" riep Thomas, die breed grijnzend op hun tafeltje afkwam.

Lizzie deed het en giechelde. Ethan liep achter Thomas. "Wat is er aan het handje?" vroeg hij en kwam meteen terzake. "We hebben een vijfde man nodig voor vlagvoetbal."

Gordo schudde zijn hoofd. "Sorry Ethan, ik…"

"Ik had het tegen Spierbal McGuire hier," legde Ethan uit.

"Ja kom op, Lizzie," moedigde Thomas haar aan. "Doe je mee?"

Lizzie keek van schattige Thomas naar nog schattigere Ethan.

Doe ik mee?
Als ik mee mag doen met team De Hotties, dan doe ik mee. Zo erg heb ik nog nooit meegedaan.

"Tuurlijk doe ik mee," zei ze.

"Cool," vond Ethan. "Dan zien we je morgen na school."

"Ik zal er zijn," zei ze.

Nadat Ethan en Thomas ervandoor waren gegaan, keek Miranda haar 'vriendin-der-knappe-boys' aan. "En je neemt mij mee," stelde ze. "Zelfs als het betekent dat ik cheerleader moet spelen, ik ga mee. Als ik had geweten dat het zó zou gaan, had ik veel langer aan die rekstok blijven hangen."

"Ja, ik ook," beaamde Gordo. "Maar ik ga níet cheerleaden."

"Goed hoor, Gordo," zei Lizzie. "Ik denk ook niet dat je er de benen voor hebt."

HOOFDSTUK 3

De volgende dag op school hield Matt zijn adem in toen de lerares het huiswerk van de vorige dag teruggaf.

"Ik moet zeggen," zei mevrouw Chapman tegen haar leerlingen, "dat ik bepaald níet onder de indruk was van jullie werk."

De klas kreunde.

"Maarrr…" vervolgde ze. "Over Matt McGuire wil ik nog iets kwijt."

O-oh, dacht Matt, die nog meer onderuitzakte in zijn stoel. Ik geloof dat het slapend-huiswerk-maken toch niet zo'n goed idee was.

"Zoals we allemaal weten, is Matt niet bepaald een uitblinker in deze klas," ging mevrouw Chapman verder.

Dat was zwak uitgedrukt, dacht Matts vriendinnetje, Melina Bianco, die naast hem zat.

Ze giechelde en keek naar Matt, die nu bijna onder zijn tafel lag.

"Maar," voegde de juf er aan toe, "jullie kunnen een voorbeeld aan hem nemen. Hij heeft ons laten zien dat hard werken echt de moeite loont!"

Melina's geamuseerde gezicht stond meteen op stomverbaasd. Ze keek met open mond toe hoe mevrouw Chapman Matt zijn huiswerk overhandigde. "Een 10-, meneer McGuire," zei ze met een brede lach. "Goed gedaan."

Terwijl mevrouw Chapman terug liep naar de andere kant van het lokaal, draaide Melina zich om naar Matt. "Ik geloof dit niet," fluisterde ze. "Hoe heb je dat gedaan?"

Matt haalde zijn schouders op. "Ik ben briljant."

Melina keek hem sceptisch aan.

"Oké," zei hij zachtjes. "Ik zal het je vertellen. Ik zat in mijn kamer omdat ik mijn huiswerk moest maken en toen viel ik in slaap. Toen ik wakker werd, was het klaar."

"Mooi," zei Melina. "Dan neem je straks mijn huiswerk maar mee." Ze gaf hem meteen een stapel.

Matt keek naar Melina's mooie blauwe ogen en haar gouden haar. "Ik ga desnoods de hele dag slapen om jouw huiswerk te maken," beloofde hij.

Intussen waren de lessen op Junior High afgelopen. Lizzie kleedde zich om in de meidenwc en ging naar het sportveld. Het was lekker om buiten te zijn. De zon scheen en het gras rook heerlijk fris.
Lizzie groette Ethan, Thomas en de andere vlagvoetbalspelers die net het veld op kwamen. Lizzie maakte snel de riem rond haar middel vast, waar de twee vlaggen aan vast zaten en liep naar Ethans team.
Er stond een stel medeleerlingen rond het veld. Tussen hen stonden Gordo en Miranda. Ze zwaaiden. Nerveus zwaaide Lizzie terug.
Het grootste deel van de westrijd liet Lizzie maar een beetje over zich heen komen. Ze wist niet precies wat ze moest doen. Ze rende mee met de jongens die de bal hadden.
Tegen het eind van de wedstrijd had Ethans team de meeste punten gescoord.
Maar het andere team was nog een keer aan de beurt. Als zij nu zouden scoren, zou het

team van Ethan verliezen.

"Oké," zei Ethan tijdens een snel onderonsje. "We doen man-op-man, het mag geen punt worden!"

Ze gingen op hun tegenstanders af. "Dek de platte," riep Ethan tegen Lizzie. "We moeten ze tegenhouden!"

Lizzie staarde hem aan. "Huh? Wat betekent dat?"

Dit is vreemd. Meestal is Ethan degene die iets niet begrijpt.

"Als we ze tegenhouden," legde hij langzaam uit, "winnen we. Dat gebeurt altijd als een team de meeste punten heeft. Wij zijn dat team."

"Nee, ik bedoel dat over dat platte," verduidelijkte Lizzie net op het moment dat de bal werd gepakt. Het ging té snel!

De tegenstander had de bal al een heel eind de voor hen goede kant op weten te krijgen en nu had Jose de bal te pakken.
"Wie dekt Jose?" brulde Ethan. "Thomas!"
Maar Thomas was veel te ver weg. Iedereen was te ver weg. Lizzie had opeens in de gaten dat zij de enige was die Jose misschien nog kon tegenhouden. Ze ging als een speer achter hem aan.

Een paar meter voor de lijn, dook Lizzie bovenop Jose, die zijn vlag eroverheen probeerde te krijgen. Door Lizzies aanval lukte het niet, maar belandden ze samen in een modderpoel.

"Au," klaagde Jose toen ze gingen staan. "Wat ben jij een wilde, zeg!"

Lizzie haalde haar schouders op. "Sorry."

De andere spelers kwamen er nu bij.

Thomas keek Lizzie aan. Haar kleren, armen en gezicht zaten helemaal onder de modder, maar dat had ze amper in de gaten. "Was dat goed?" vroeg ze aan haar teamgenoot.

"Goed?" herhaalde Thomas. "Moet je jezelf zien! Je bent een monster, geweldig! Door jou hebben we gewonnen!"

"Je hebt het helemaal, McGuire," zei Ethan. "Morgen hebben we weer een wedstrijd."

"Je komt toch wel?" drong Thomas aan.

"Tuurlijk," zei Lizzie. "Het was erg leuk."

"Goed gedaan, Lizzie," grijnsde Ethan. "Je bent een echte prof."

Toen Thomas en Ethan het veld af gingen, kwamen Gordo en Miranda op Lizzie af. "Lizzie, dat was super! Je had die Jose goed te pakken!"

"Nou," beaamde Miranda. "Je hoort helemaal bij de coole jongens. Wie bén jij, Lizzie?"

"Een eh, prof," zei Lizzie trots.

Eindelijk hebben de leuke jongens me in de gaten.

"Je hebt gelijk, Lizzie," snauwde een bekende stem. Het was Kate Sanders, die er natuurlijk weer uit zag alsof ze net van een catwalk kwam. Alles aan haar was perfect: haar haar, haar kleren, haar make-up, haar nagels en haar stralende té witte tanden. "Je bent echt een prof, Lizzie. Je hoort helemaal bij de jongens. Je doet met ze mee en je lijkt op hen."

Kate haalde haar neus op. "Je ruikt zelfs net als zij." Ze wuifde met haar perfect gemanicuurde handje. "Doei," zei ze nog over haar schouder, "próf!"

Lizzie trok een lelijk gezicht. Kates rottige opmerkingen zetten haar wel aan het denken.

De leuke jongens hebben me eindelijk in de gaten. Ze denken dat ik bij hen hoor.

Die avond lag Lizzie maar te woelen in bed. Opeens werd ze wakker en zag ze Ethan, Thomas en Kate tegenover haar staan.

Ethan en Thomas leken opeens niet meer zo blij. Sterker nog: ze vonden haar opeens walgelijk.

"Je bent een prof, Lizzie," zei Ethan met een vies gezicht.

"Je bent een monster!" brulde Thomas vol afschuw.

"Inderdaad Lizzie, je bent een prof," zei Kate en ze lachte haar heksenlachje.

Op dat moment werd Lizzie écht wakker. "Aaah!" jammerde ze, rechtop zittend in haar bed. Ze keek paniekerig haar kamer door, maar Ethan, Thomas en Kate waren verdwenen. Toen keek ze op de wekker: half zes.

Zo vroeg ben ik nooit meer wakker geworden sinds mijn ritmische gym-avontuur!

Ze was veel te veel in de war om weer te gaan slapen. Lizzie pakte haar telefoon van het nachtkastje. Ze belde Miranda.

"Nog vijf minuutjes, mam," klonk een slaperige stem aan de andere kant van de lijn.

"Miranda, ik ben het en het is al half zes en het spijt me echt heel erg, maar ik móet je spreken!"

Miranda had haar ogen nog steeds dicht. Heeeeeel langzaam deed ze ze open. "Lizzie, hoor ik jou nou praten in mijn slaap?" vroeg ze nogal in de war. "Ik word net wakker met de telefoon in mijn hand."

"Miranda, ze denken dat ik een jóngen ben!" legde Lizzie wanhopig uit. "Ethan en Thomas en allemaal!"

"Lizzie, misschien ben je wel een beetje een jongens-meisje," bracht Miranda uit.

"Daar gaat het nou juist om, Miranda," antwoordde Lizzie. "Niemand die me nu nog meevraagt voor een afspraakje of waar dan ook naartoe."

De jongens willen wel met me high fiven, maar mijn hand vásthouden, ho maar.

"Misschien moet ik wat meer mijn best doen om een meisjes-meisje te worden," dacht Lizzie hardop.

Miranda geeuwde. "Goed idee," zuchtte ze.

"Lizzie, ik ben hartstikke gek op je en zo, maar kun je me de volgende keer wat later op de dag bellen?"

"Tuurlijk," zei Lizzie.

"Fijn."

Miranda hing op en Lizzie sprong uit bed met Een Plan in haar hoofd.

HOOFDSTUK 4

Terwijl Lizzie al fris en fruitig naast haar bed stond en al twaalf keer iets anders had aangetrokken, lag Matt nog steeds te slapen in bed. Op zijn bureau lagen twee bananen, er stonden twee glazen en er lagen twee stapels huiswerk – die van hem en die van Melina.

En net als die keer ervoor, verscheen Fredo de chimp ook nu weer om Matts lekkernijen te verorberen. Toen hij de stapels huiswerk zag liggen, pakte hij automatisch een pen en vinkte de antwoorden aan. Toen dronk hij het sap, at de bananen en verdween weer zoals hij gekomen was: door het raam.

Matt schrok wakker: "Geen jus, geen jus!" jammerde hij. Hij schudde met zijn hoofd en begreep dat hij weer eens vreemd had liggen dromen. Slaperig liep hij door zijn kamer en keek of hij zijn huiswerk had gemaakt.

"Ziet er goed uit," mompelde hij. Hij klopte zich weer op de rug en vond dat hij een reuzenuitvinding had gedaan: slapend huiswerk maken! "Wie is hier de wiskundekampioen? Nou? Nou?" riep hij terwijl hij door zijn kamer danste. Als ik zo doorga, dacht hij, doe ik de middelbare school en daarna alles op mijn slofjes en op een paar slaappillen! En wie weet wat hij nog meer onbewust zou kunnen bereiken? Een Nobelprijs?

De volgende paar uur was Lizzie een echt meisjes-meisje. Ze begon met een beauty-ritueel, bestaande uit een moddermasker, een haarmasker en een manicure. Ze bracht haar make-up uitgebreid en voorzichtig aan en liep als een diva langs haar kast.

Misschien moet ik toch eens een personal stylist overwegen.

Outfit nummer 1 was te rock-'n-roll. Outfit nummer 2 te jongensachtig. Outfit nummer 3 zag er gewoon niet uit. Ik héb niks! klaagde ze bij zichzelf.

"Dit gaat niet lukken," zuchtte Lizzie. Ze had al vijf combinaties geprobeerd, toen ze eindelijk precies de goede kleren bij elkaar had gevonden.

Een vrouwelijk kort topje in een pastelkleur, een mooie spijkerbroek in precies de goede kleur en een prachtig stel sandalen met hoge hakken.

Die ochtend op school líep Lizzie niet door de hal, ze glééd als een prinses.

Ze maakte kleine stapjes, zwaaide met haar schattige kleine bloemetjestasje dat zo enig bij haar topje stond.

Ik ben een en al meisje, dacht ze terwijl ze naar haar klasgenoten glimlachte.

Toen Ethan en Thomas haar zagen, kwamen ze naar haar toe.

"Hai Ethan, hai Thomas," zong Lizzie bijna met een zwoel stemmetje.

Ethan had niet in de gaten dat Lizzie nu een en al meisjesachtigheid uitstraalde.

Sterker nog, toen hij haar hoge hakken zag, verscheen er een frons op zijn voorhoofd. "Je hebt je andere kleren toch wel bij je?"

Lizzie schudde haar hoofd. "Wat voor kleren?"

"De wédstrijd, Lizzie," zei Thomas gefrustreerd. "We hebben onze mega-verdediger nodig!"

Lizzie probeerde haar haar over haar schouders te gooien, á la Kate. "Oh, ik denk dat ik maar stop met voetbal," zei ze.

"Wat? Hoezo?" vroeg Thomas. "Je vond het toch leuk gisteren?"

"Je was de beste!" beaamde Ethan.

De beste?
Zonder mij waren jullie
ingemaakt! Vergeet dat
even niet!

"Dat is wel zo," zei Lizzie, "maar ik geloof niet dat het echt mijn sport is. Maar…" Ze gooide haar haar weer op z'n Kates over haar schouder. "Ik kom jullie wel aanmoedigen."

Ethan en Thomas voelden zich een beetje verraden toen Lizzie wegliep.
"We hebben geen cheerleaders nodig, we moeten een teamgenoot hebben!" klaagde Thomas.
Ethan schudde teleurgesteld zijn hoofd. "Ik geloof dat het toch niet zo'n sport voor meisjes is…"

Wie is hier een meisje?
Oh, je hebt het over
mij!

Tegen lunchtijd voelde Lizzie wel dat ze die ochtend erg vroeg was opgestaan. Ze zat bij Miranda en Gordo aan een tafeltje en Gordo vertelde over een documentaire die hij had gezien op tv. Lizzie probeerde te luisteren, maar haar oogleden werden steeds zwaarder. Het goede nieuws was dat, toen haar hoofd de tafel uiteindelijk raakte, haar val gebroken werd door haar salade.

"Lizzie?" vroeg Gordo. Hij schudde haar aan haar arm. "Je valt in slaap in je eten."

Lizzie gaf geen antwoord.

"Nou," voegde Miranda er aan toe. "Dat is niet erg meisjesachtig."

Dat was de druppel. Lizzie stak haar hoofd omhoog. Er zat een aardappel in haar haar. Miranda haalde hem eruit.

"Meisjesachtig?" herhaalde Gordo. Hij keek van Lizzie naar Miranda. "Waar hebben jullie het over?"

"Nou," begon Miranda. "Ethan ziet Lizzie als een jongens-vriend en nu doen al zijn vriendjes dat ook en nu dat zo is zal niemand haar nog mee uit vragen."

"Weet je, ik ben vooral een soort jongens-meisje," besloot Lizzie.

Gordo knipperde met zijn ogen – hij kon er geen touw meer aan vast knopen.

"Ik zal het je even uitleggen," probeerde Lizzie nog een keer. "Ik ben om half 6 opgestaan en toen..."

"...belde je mij," viel Miranda haar in de rede.

"Laat me nou uitpraten," drong Lizzie aan. "Ik heb twee keer zo lang over mijn haar en make-up gedaan als normaal en ik heb me zes keer omgekleed. Dat is drie keer vaker dan normaal."

"Ik zie er anders niks van," zei Gordo. "Nou ja, het valt mij in elk geval niet op."

Lizzie keek bedroefd. Ze vond het rot om te

horen dat al haar werk blijkbaar geen vruchten had afgeworpen.

"Zie je wel?" klaagde ze tegen Miranda. "Het maakt nog niet eens iets úit. Ik word nooit een meisjes-meisje."

Ze vragen Kate straks mee naar het eindbal en mij naar een trekker-trekwedstrijd.

Uitgeput legde Lizzie haar hoofd weer op de tafel.

"Lizzie," zei Gordo. "Zo krijg je weer aardappels in je haar."

Miranda schudde haar hoofd. "Laat haar nou maar even."

Toen Matt later die dag thuis kwam, zag hij zijn vader en moeder op de bank in de huiskamer zitten. Ze keken tv en riepen hem bij zich zodra ze hem zagen.

"Matt, we werden vandaag gebeld door school," zei meneer McGuire.

"Ik heb het niet gedaan! Ze hebben me erin geluisd!" riep Matt.

Mevrouw McGuire tikte op het plekje naast haar, ten teken dat hij moest gaan zitten. "Kom eens hier," zei ze tegen hem.

Matt deed het.

"We zijn gebeld door je lerares, juf Chapman," vertelde mevrouw McGuire.

"Ja. Ze zei dat het zo veel beter gaat met wiskunde en dat je twee tienen hebt gehaald," voegde meneer McGuire er aan toe.

Mevrouw McGuire glom van trots. "Ik weet dat ik erg streng tegen je ben geweest over je huiswerk," zei ze. "En daarom willen we je even vertellen dat we ontzettend trots op je zijn."

"Wacht even," zei Matt. "Zijn jullie trots op míj?"

"Hoe kwam dat nou, jongen?" vroeg meneer McGuire nieuwsgierig. "Hoe heb je die knop omgezet?"

"Ik eh…" begon Matt. Hij aarzelde. Stel nou

dat zijn ouders dat slaap-huiswerk-maken niet geloofden?

Misschien zouden ze hem wel aangeven bij de politie. Straks werd hij opgesloten in een laboratorium en gingen ze testen met hem doen… Misschien kreeg hij wel een hersen-operatie!

"Ik… heb gewoon iets harder gewerkt," loog hij. "Als het moeilijk wordt, geeft Matt gewoon extra gas!" Dat vond hij heel goed klinken.

"Mooi," zei zijn vader en hij *highfivede* met zijn zoon.

Ja, mooi, dacht Matt. En nu er snel vandoor voor ze nog meer lastige vragen gaan stellen! Hij stond op en racete de kamer uit. Meneer en mevrouw McGuire keken hem met mis-selijkmakende ouderlijke trots na.

"Doei," riep meneer McGuire zijn briljante zoon nog na. Toen keek hij zijn vrouw aan. "Ik zei toch dat het goed zou komen? Hij lijkt op mij."

Mevrouw McGuire trok een wenkbrauw op. Voor zover zij wist, was haar echtgenoot knudde wat wiskunde betreft. Maar ze liet hem maar in de waan.

HOOFDSTUK 5

Aan het eind van de schooldag besloot Lizzie degene op te zoeken die eigenlijk de schuldige was van dit hele jongens-meisjes-gedoe: coach Kelly. Ze vond haar juf in de gymzaal, waar ze bezig was met een bal.

"Hé, McGuire, vangen!" riep de juf en ze mikte de bal naar Lizzie.

Maar Lizzie was zo bezig met haar eigen problemen, dat ze niet eens een poging deed het ding te vangen. De bal viel met een plof op de vloer.

"Wat is dat nou?" plaagde de lerares. "Je kunt een uur aan een rekstok hangen, maar geen balletje uit de lucht plukken?"

Lizzie pakte de bal op en gaf hem aan haar gespierde juf. "Sorry," zei ze.

Coach Kelly kwam naar haar toe. "Ik hoorde

dat je Craft hebt verslagen met armpje drukken," zei ze. "Goed gedaan."

Ja goed hè,
dat ik al mijn kansen op
een leuk sociaal leven
naar de maan heb
geholpen.

"Bedankt," zei Lizzie zwakjes.
"Je klinkt niet erg blij," reageerde de coach.
"Dat ben ik ook niet," beaamde Lizzie. "Sinds
de gymles gisteren denkt iedereen dat ik een
halve jongen ben. Zo krijg ik nooit een
afspraakje."
"Ze vinden je een halve jongen omdat je een
record hebt verbroken?" vroeg de lerares.
"En omdat ik Ethan heb verslagen met armpje drukken," voegde Lizzie er aan toe. "En
omdat ik heb meegedaan met vlagvoetbal."
"En wíe denkt dat dan precies?" vroeg coach
Kelly, die naar een stapel matten toe liep en

haar waterflesje pakte.

"Iedereen!" jammerde Lizzie met haar handen omhoog. "Ethan vond me 'cool' en Thomas zei dat ik een monster was."

Coach Kelly schoot in de lach. "'Cool' is een stopwoordje van Craft. Verder kent hij niet zoveel woorden. En als Thomas je 'monster' noemt, bedoelt hij dat als een compliment."

"Maar Kate zei het ook," sputterde Lizzie tegen.

"Heb je er wel eens bij stilgestaan dat Kate misschien stikjaloers is omdat jij veel tijd door kan brengen met de leukste jongens van de klas?" vroeg de juf.

Lizzie knipperde met haar ogen. "Nee."

Maar dat klinkt wel leuk.

"Er zijn mensen die denken dat sterk zijn typisch iets is voor jongens," gaf coach Kelly toe. "Maar dat komt omdat die mensen een hersenprobleem hebben."

Lizzie zuchtte. "Zou best kunnen." Maar daarmee was haar probleem nog niet uit de wereld.

"Zeg McGuire, denk jij dat bekende mensen, bijvoorbeeld sportkampioenen, zich iets aantrekken van wat anderen van hen vinden?"

Lizzie schudde haar hoofd. "Nee, maar ik ben niet bekend. En ik hoor zeker niet in dat rijtje kampioenen thuis."

"Mijn punt is, Lizzie, dat het een het ander niet hoeft uit te sluiten," ging coach Kelly verder. "Kijk, ik doe aan powerliften."

Om haar woorden kracht bij te zetten, liet ze haar spierballen zien. "Maar ik vind het ook leuk om te gaan stijldansen met meneer Lang."

Lizzies ogen werden groot. "Doet u aan stijldansen?"

Het is niet te geloven dat leraren na schooltijd ook nog een leven hebben.

"Inderdaad," zei de coach. "En ik maak mijn eigen jurken daarvoor, omdat mijn armen niet in de gewone exemplaren passen."

"Wat cool," zei Lizzie. "Dus u doet het ook allebei?"

"Waarom zou jij dat niet kunnen, McGuire?"

Lizzie knikte. "Bedankt. Ik voel me al een stuk beter."

"Graag gedaan. Ik kan heus wel met leerlingen práten, maar ik vind het leuker om tegen ze te schreeuwen."

Lizzie lachte naar haar juf. Daarna ging ze naar de meidenwc. Nu ze wist wat ze wilde, was het tijd om van kleding te verwisselen!

Bij de McGuires thuis was Matt druk bezig met zijn huiswerk. Dat wil zeggen: hij lag te slapen aan zijn bureau. Zoals gebruikelijk stond er een dienblad met een glas sap en een banaan klaar.

Toen Fredo door het raam naar binnen kwam, krabde het dier aan zijn kop. Het huiswerk dat klaar lag, zag er anders uit dan wat hij tot nu toe had gemaakt. Gefrustreerd schudde Fredo Matt wakker.

Die keek hem met grote ogen aan. "Fredo!" riep hij. Fredo lachte en wees naar het huiswerk. Toen haalde hij zijn chimpschouders op.

Dat béést heeft mijn huiswerk gemaakt! dacht Matt. Dat is toch bijna net zo goed als slapend huiswerk maken. Maar ik geloof dat er nu iets aan de hand is.

"Wat is er?" vroeg Matt aan Fredo. "Is dat te moeilijk voor je? Heb je dat nog niet geleerd op Apenschool?"

Fredo schudde zijn hoofd en begon als een wilde door de kamer te stuiteren. Matt probeerde het dier te kalmeren. "Rustig maar, rustig!"

Opeens werd er op de deur geklopt. Matts

ouders kwamen binnen met twee softbal-vrienden van zijn vader, David en Jeremy. Fredo was van hen.

Matt slikte moeilijk. "Hai," zei hij zo onschuldig mogelijk.

"Fredo, je weet dat je niet naar buiten mag als je huiswerk nog niet af is," foeterde David.

"Hij vindt het moeilijk vandaag. Gisteren had hij er geen problemen mee," flapte Matt er zonder nadenken uit.

Meneer en mevrouw McGuire keken hem met open mond aan en Matt had in de gaten dat hij beter zijn mond had kunnen houden. "Oeps…" zei hij.

"Fredo, we zullen je helpen," bood Jeremy aan.

"Kom op, Fredo, we gaan," zei David en hij en Jeremy pakten ieder een harige hand. Ze vertrokken met hun slimme chimpansee.

Meneer McGuire draaide zich om naar zijn niet-zo-slimme zoon. "Is het waar wat ik nu denk en klopt het dat die aap een tien heeft gehaald?"

Matt knipperde met zijn ogen. "Ja."

Matts moeder keek alsof ze kaboutertjes zag dansen.

"Matt, ik ben verschrikkelijk kwaad op je," snauwde ze en ze keek haar echtgenoot aan in de hoop dat hij haar zou bijvallen.

Maar meneer McGuire leek aan heel andere dingen te denken. "Hmm," zei hij. "Misschien kan Fredo ons helpen met het invullen van de belastingpapieren."

Mevrouw McGuire kon haar oren niet geloven. Geweldig, dacht ze. Mijn zoon laat zijn huiswerk maken door een aap en nu wil mijn man het beest inhuren om papieren in te vullen!

"Wat?" vroeg meneer McGuire, die opeens in de gaten had dat zijn vrouw hem aan keek.

"Je hebt gelijk," zei mevrouw McGuire tegen haar mega-getalenteerde echtgenoot. "Matt lijkt écht op jou."

Op Hillridge High liepen Miranda en Gordo intussen met Lizzie mee naar het voetbalveld.

"Weet je zeker dat je dit gaat doen?" vroeg Miranda bezorgd aan Lizzie.

"Helemaal," zei Lizzie.

"Ik ben trots op je, Lizzie," lachte Gordo. "Ga ervoor en maak ze gek!"

Op dat moment haalde Kate hen in. Ze keek met afschuw naar Lizzies trainingsbroek. "Ga je de hond uitlaten?" vroeg ze liefjes.

Lizzie keek haar aan. "Niemand vindt jou leuk, Kate," zei ze rustig en daarna liep ze met opgeheven hoofd verder, naar Ethan, die net van het veld kwam om iets te drinken.

"Ik doe mee," zei Lizzie.

"Moet je niet doen, McGuire," zei hij tegen haar. "Stel je voor dat je een nagel breekt of zo."

"Ethan, dat interesseert me niks. Ik wil mee-doen."

Thomas hoorde wat Lizzie zei en kwam op haar af. "Ethan, ze maken ons af." Hij keek Lizzie aan. "We zouden je goed kunnen gebruiken."

Lizzie keek verwachtingsvol naar Ethan. "Nou, wat denk je?"

"Lizzie," zei hij, "als jij meedoet, moet iemand anders reserve staan."

Thomas keek naar zijn vriend. "Kom op, Craft."

Ethan dacht even na. "Ik heb een idee."

Dat hoor je Ethan niet zo vaak zeggen.

Twee minuten later speelde Lizzie de sterren van de hemel – en Ethan keek toe vanaf de zijlijn. Hij was zelf het veld uitgegaan, zodat Lizzie mee kon doen.

"Ethan!" krijste Kate, "Joehoe!"

Maar Ethan wilde niet luisteren. "Ik zit naar een wedstrijd te kijken!"

Kates ogen werden groot van boosheid.

Op het veld wist Lizzie intussen de bal te bemachtigen en zelfs een doelpunt te scoren. Gordo en Miranda sprongen een gat in de lucht. Toen keek Miranda Gordo aan. "Nu denken ze natuurlijk weer dat ze een halve jongen is."

"Weet je," zei Gordo. "Volgens mij kan het Lizzie niks meer schelen en dát is pas goed."

Miranda lachte. "Je hebt gelijk."

Op het veld liep Thomas naar een totaal onder de modder zittende Lizzie toe en hij *highfivede* met haar. "Goed gedaan, modder-monster! Goed dat je er bent."

Lizzie knikte. "Ik vind het ook leuk."

De zon was warm, het gras rook naar gras en Lizzie voelde zich beter dan ooit – omdat ze eindelijk iets deed wat ze graag wilde doen.

Het duurde even voor dit meisje doorhad dat ze graag wilde voetballen!

"Kom op, eropaf!" riep Lizzie. "We gaan er eens even voor zorgen dat onze tegenstanders spijt krijgen dat ze zijn komen opdagen!" Thomas wist dat hij het zelf niet beter had kunnen zeggen. "Eropaf!" juichte hij.

ALLE LIZZIES OP EEN RIJTJE!

1. Lizzie gaat uit 'r dak
2. Superverliefd!
3. Lizzie op schoolkamp
4. De val van Kate
5. Op de foto
6. Nieuw op school
7. Liefdesverdriet
8. Een echte Lizzie kerst!
9. Net als Lizzie
10. Lizzie? Ethan
11. Aan 't werk!
12. Miranda in de wolken
13. Best gekleed!
14. Spiegeltje, spiegeltje
15. 'n Bizarre dag
16. Lizzie for President
17. Broertjes? Aargggh!
18. Gordo draait door!
19. Genoeg is genoeg
20. Oh oh ouders!